Ideas creativas
con papel
LIBSA

C/ San Rafael, 4
28108 Alcobendas (Madrid)
Tel.: (34) 91 657 25 80
Fax: (34) 91 657 25 83
e-mail: libsa@libsa.es
www.libsa.es

Textos: Nuria G. Noceda
Edición y maquetación: Equipo editorial LIBSA
Imágenes: Archivo LIBSA, www.shutterstock.com, www.123rf.com

ISBN: 978-84-662-3020-9

DL: M 36390-2014

Contenido

Creatividad en tus manos

Adornos para tu habitación, **regalos** para los amigos, **marcos** de fotos, **tarjetas** de cumpleaños, **caretas**, **disfraces**… Se puede crear casi cualquier objeto con una hoja de papel. En este manual práctico te contamos cómo se elaboran paso a paso muchos proyectos con los que descubrirás un maravilloso mundo creativo.

Tipos de papeles

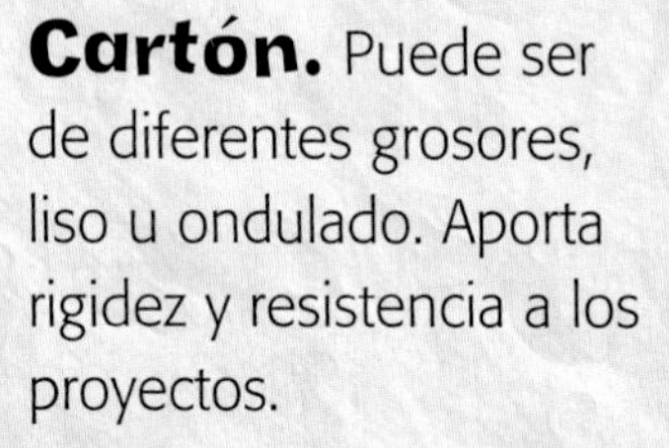

Cartón. Puede ser de diferentes grosores, liso u ondulado. Aporta rigidez y resistencia a los proyectos.

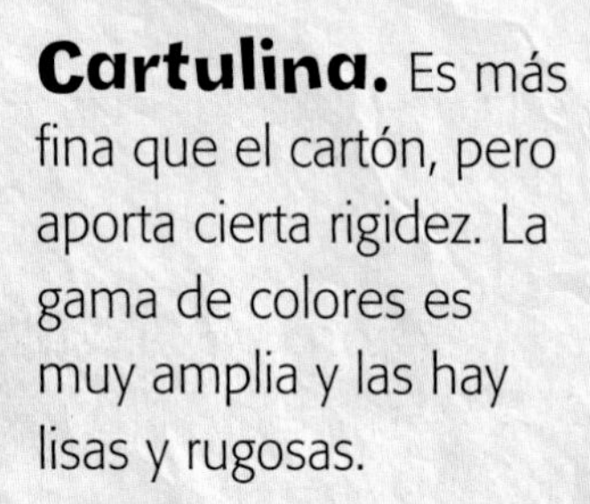

Cartulina. Es más fina que el cartón, pero aporta cierta rigidez. La gama de colores es muy amplia y las hay lisas y rugosas.

Papel charol y con brillantina. Como tiene brillo y una apariencia metalizada, es perfecto para aportar sofisticación.

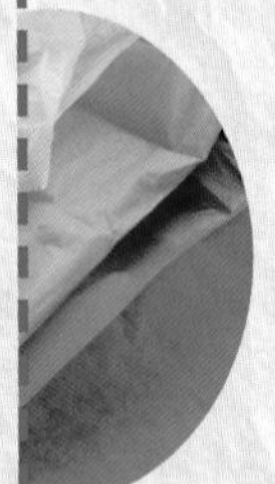

Papel de seda. Transparente, delicado, maleable y de colores, es perfecto para las manualidades de papel.

Papel pinocho. Es más grueso y resistente que el papel de seda y tiene cierta rugosidad.

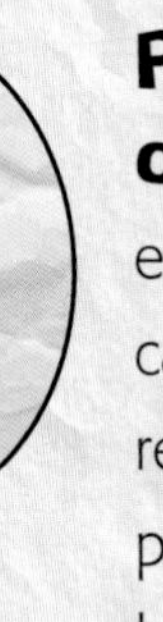

Papel cebolla o vegetal. Como es traslúcido, sirve para calcar ilustraciones, recortarlas y crear plantillas. También lo hay de colores.

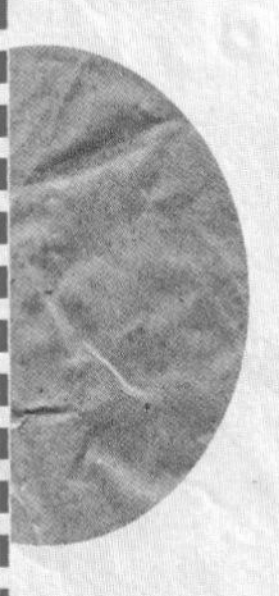

Papel continuo. Sirve para envolver y dibujar sobre él. Es de color marrón y se vende por metros. Perfecto para crear murales o carteles de gran tamaño.

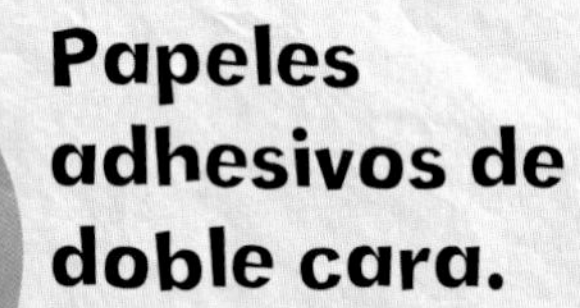

Papeles adhesivos de doble cara. Ideales para no tener que usar pegamento. Además, con ellos crearás tus propias pegatinas y gomets.

¡Atención!

Pide ayuda a tus padres cuando uses tijeras afiladas, agujas para coser o la grapadora y la perforadora de papel.

Equipo básico

«Washi tape» o papel adhesivo japonés

Gomets

Perforadora

Grapadora

Pegamento

Tijeras para papel

Tijeras dentadas

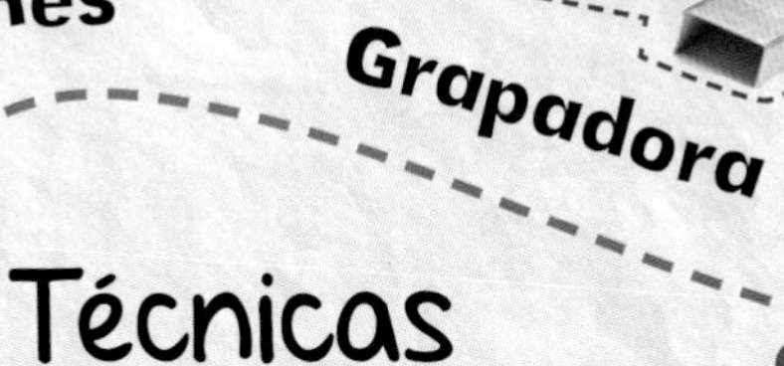

Técnicas

Origami o papiroflexia. Esta técnica de plegado japonesa surgió hace miles de años y sirve para crear formas a base de plegar y doblar hojas de papel.

Papel maché. Se mezclan trozos de papel de periódico con agua y con engrudo o cola y con la pasta resultante se forma la figura deseada, que después se pinta y se decora. Tarda varios días en secar.

Customizar. Es la manera de personalizar los objetos: solo tienes que pensar en lo que le gusta al destinatario del regalo y saberlo plasmar con tus manos.

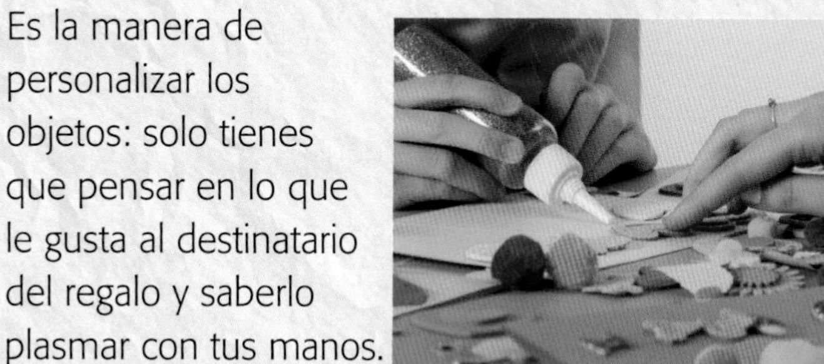

Plastificado. Con el papel adhesivo podrás reforzar y hacer tarjetas casi indestructibles, marcadores de libros, tus dibujos preferidos, etc.

Scrapbooking. Consiste en pegar recortes y fotografías de forma creativa para crear álbumes, tarjetas personalizadas o invitaciones únicas.

Príncipe Rana

Materiales

Cola o engrudo · Agua · Brocha · Una bandeja · Pinturas acrílicas de color verde, blanco y negro · Un pincel · Tijeras · Una corona dorada · Un trozo de fieltro rojo · Dos pelotitas · Pegamento

1 **Cubre** un globo inflado y dos pelotas pequeñas con papel maché. En la página 5 te explicamos la técnica. Debes esperar al menos un par de días a que se seque antes de pasar al siguiente paso.

Pinta la figura con pinturas acrílicas cuando parezca cartón: la superficie del globo de color verde (con la boca en negro, y luego pegarás un trozo de fieltro rojo a modo de lengua), y las pelotitas en blanco con los iris en negro. No diluyas demasiado las pinturas con agua para no ablandar el papel maché.

3 **Añade** las patitas, que se hacen con cartón corrugado, un tipo de cartón ondulado, y ponle la corona dorada para convertirle en un príncipe azul encantado.

Truco

La cola o engrudo para papel maché se compra en tiendas de manualidades. Pero también puedes crear un engrudo casero mezclando harina y agua.

¡PONLA AL
LADO DE TUS
CUENTOS!
Con la
técnica del papel
maché puedes hacer
las figuras que
quieras, ¡échale
imaginación!

Mascota de cartón

Materiales

Lápiz · Pieza de cartón grande y grueso · Tijeras de punta redondeada · Pinturas acrílicas de colores · Una pieza de cartón fino

1 **Dibuja** la silueta de la conejita con el lápiz en la parte trasera del cartón. En otro trozo haz el rabito. Pide ayuda a tus padres para recortar porque el cartón es muy grueso.

2 **Pinta** de color blanco el rabito, los bigotes, el hocico y los ojos. Da color también a las orejas y a la tripita con los tonos que más te gusten.

3 **Haz** las patitas delanteras con un cartón fino, y pégalas. Para terminar, recorta en el cartón grueso un círculo y divídelo en dos. En cada una de las mitades, haz un corte para insertar la conejita y que se mantenga erguida.

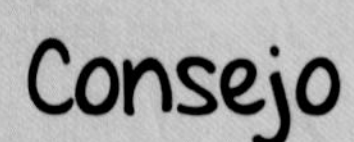

Consejo

Es importante que el cartón sea bastante grueso para que no se doble sobre las patitas que funcionan como peana.

TAN GRANDE
COMO TÚ... ¡SERÁ TU
NUEVA AMIGA DE
CARTÓN!
Usa tu imaginación y crea otros animalitos decorativos: la técnica de los pies te valdrá para todos.

Marioneta de papel

Materiales

2 cartulinas A4 de color azul · Pegamento · Una cartulina A4 blanca · Tijeras · Compás · Un poco de cartulina negra · Papel charol A4 de color naranja · Media cartulina A4 de color amarillo

1 **Haz** un cilindro con una de las cartulinas de color azul uniendo los extremos cortos con pegamento. Divide por la mitad la cartulina blanca; una parte será la cabeza: realiza un cilindro y pégalo a la pieza azul. Utiliza el papel blanco restante para los botones y las manos.

2 **Recorta** cuatro círculos, dos grandes azules y dos pequeños negros para los ojos. La boca es como un gran paréntesis rojo. Para la nariz haz un rectángulo en el papel charol naranja y añade un círculo en cada extremo, que serán las mejillas. Corta tiras de la cartulina amarilla para el pelo y pégalas a la cabeza. Cubre esta con un cilindro azul y un círculo, que será el sombrero. Con el sobrante de la cartulina amarilla haz los zapatos.

Consejo

Puedes hacer círculos con el contorno de cualquier objeto. Por ejemplo, un tapón redondo es perfecto para crear los botones y los ojos: colócalo sobre la cartulina, dibuja su contorno y recórtalo.

3 **Corta** un rectángulo de unos 10 x 5 cm para la pajarita. Añade una pieza estrecha en el centro para darle forma de lazo y pégalo en su sitio.

¡CREA TUS PROPIOS PERSONAJES!

Diseña otros personajes usando cartulinas de colores y podrás jugar con tus amigos a hacer vuestro propio teatrillo.

Angelitos del cielo

1 Dibuja en la cartulina blanca un triángulo isósceles de 15 cm de altura para hacer el cuerpo. Pega los extremos y haz un corte en la punta. Dibuja las alas, recórtalas y pégalas a la parte trasera del cuerpo. Haz lo mismo con los bracitos.

Materiales

2 cartulinas A3 de color blanco · Lapicero · Tijeras · Cola de pegar · Un trozo de fieltro color marrón y otro de cartón · Rotuladores para tela y normales de color negro y rojo · Pelo para muñecas · Fieltro rojo (opcional)

2 Realiza un círculo en el fieltro marrón o en el cartón. No necesitas compás: puedes hacerlo usando un tapón redondo. Dibuja los ojos y la boca con los rotuladores específicos para cada caso, fieltro o cartón. Si usas el fieltro, pégalo sobre un círculo del mismo tamaño de cartón, para que quede rígido.

3 Fija varias hebras del pelo de muñeca con mucha cola de pegar sobre la cabecita. Ya solo falta recortar un corazón de fieltro rojo para que tus angelitos estén muy contentos.

Idea de reciclaje

Puedes comprar el pelo sintético en las tiendas de manualidades, pero también puedes utilizar un poco de alguna muñeca con la que ya no juegues.

Cuelga los
angelitos de un hilo de
pescar (al ser
transparente parecerá que
vuelan) y pon detrás un
mural personalizado.
¡UN ORIGINAL DETALLE PARA
EL DÍA DE LA COMUNIÓN!

Bolsas con vida propia

Materiales

Bolsas de papel de colores · Rotuladores · Cartulinas A4 variadas · Cola de pegar · Papel adhesivo de doble cara · Fieltro adhesivo de colores · Botones grandes · Gomets de goma EVA con forma de flor · Plumas · Serpentinas

1 **Dibuja** con rotuladores y cartulinas de colores los brazos, los ojos, la boca, las florecitas y las estrellas y recórtalas. Añade detrás de cada pieza papel adhesivo de doble cara para convertirlas en pegatinas. Coloca los brazos a cada lado de la bolsa usando el pegamento.

2 **Fija** los botones grandes con cola de pegar. Corta círculos en el fieltro adhesivo, pégalos en la bolsa y coloca encima los gomets de goma EVA. Distribuye el resto de los gomets por la superficie de la bolsa, decorándola como más te guste.

3 **Añade** el penacho de plumas y las serpentinas para crear el pelo de tus personajes. También puedes usar hebras de lana de colores para hacer diferentes peinados a cada uno de ellos.

Idea

Si abres un poco las bolsas y las apoyas sobre una superficie lisa, se quedarán erguidas, como si fueran muñecos.

¡CREA ADORNOS CON OTROS MATERIALES!
Con el papel adhesivo de doble cara puedes diseñar tus propias pegatinas.

Vampirito de Halloween

Materiales

Cartulinas A4 de color rojo, negro y amarillo · Pegamento · Un trozo de cartulina azul · Ojos adhesivos · Una hoja tamaño A4 blanca · Rotulador negro · Un trozo de alambre de 20 cm

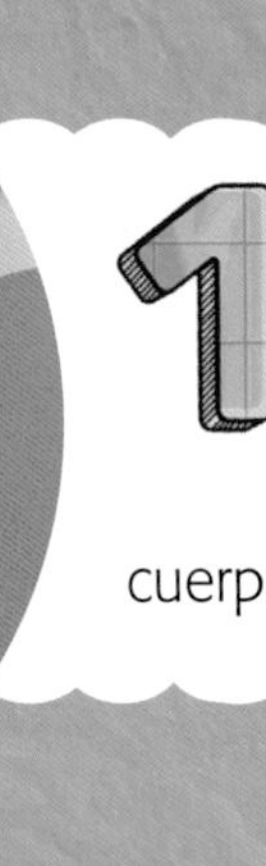

1 **Corta** una tira de cartulina roja de 10 x 20 cm y haz un cilindro uniendo los extremos con pegamento. Ya tienes el cuerpo del vampirito.

2 **Haz** las alas y los ojos del vampirito con las cartulinas amarilla y azul, según el ejemplo. Para la boca, recorta un rectángulo del folio blanco y añádele unos colmillos terroríficos de cartulina negra. Pega cada elemento en su sitio y añade los ojos adhesivos. Puedes crear tantos vampiritos como quieras combinando tus colores favoritos.

3 **Dobla** el extremo del alambre haciendo un gancho (pide ayuda a tus padres), e introdúcelo por dentro del vampirito para sujetarlo por la parte inferior de la base. Añade papel adhesivo para fijar el alambre a la cartulina.

Truco

Fíjate en los modelos verde y negro y prueba a hacer diferentes diseños para decorar tu habitación en Halloween.

¡HAZ VARIOS
Y CREA TU
PANDILLA
MONSTER!
También
puedes usar rollos
de papel higiénico y
crear unos vampiritos
más sencillos y
rápidos de hacer.

Tarjeta de Navidad

Materiales

Una cartulina A4 azul claro
· La mitad de una cartulina morada de tamaño A4
· Papel pinocho azul oscuro
· Un trocito de tela escocesa
· Acuarelas de colores
· Un pincel · Tijeras
· Un trocito de cuerda blanca

1 **Dobla** por la mitad la cartulina color azul y ponla en sentido vertical. Esta será la base de tu tarjeta de Navidad. Ahora corta un trozo de papel pinocho azul oscuro un poco más pequeño que la superficie de la cubierta, y pégalo como si fuera un marco.

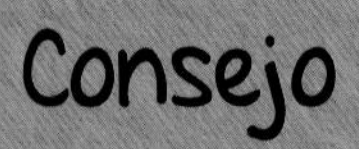

2 **Recorta** un rectángulo de la cartulina morada de manera que lo pegues sobre el papel pinocho y este se vea un par de centímetros alrededor. Sobre la cartulina morada, haz el dibujo que más te guste: puede ser un muñeco de nieve, como en el ejemplo.

3 **Pega** el trocito de tela escocesa a modo de bufanda. Haz un agujerito en la esquina de tu tarjeta y, con un poquito de cuerda blanca, ya tienes hecha tu tarjeta-adorno navideño.

Consejo

Recuerda: cuando pintes, pon encima de la mesa papel de periódico para evitar mancharla.

Personaliza tu árbol de Navidad con tarjetas variadas de distintos tamaños. ¡Puedes escribir mensajes dentro!
¡HAZ TU PROPIO DISEÑO!

Molinete de viento

Materiales

25 x 25 cm de cartulina fina de color fucsia · 25 x 25 cm de cartulina fina de estampado de topos · Pegamento · Regla · Lapicero · Goma de borrar · Cola de pegar fuerte · Hilo y aguja (pide ayuda a tus padres) · Pajita de beber · Botón de fantasía

1 **Pega** el cuadrado de color fucsia al de estampado de topos. Presiona muy bien para que no queden pliegues ni burbujas de aire.

2 **Marca** las diagonales suavemente con un lapicero por uno de los lados. Realiza un círculo en el centro, que es el límite hasta el que debes cortar. Una vez hechos los cortes, borra las marcas de lapicero.

3 **Lleva** los vértices al centro y pégalos con cola fuerte. Pide a tus padres que con el hilo y la aguja atraviesen varias veces la pajita, el centro del molinete y el botón de fantasía para fijarlos muy bien y que con la fuerza del viento no se caigan.

Consejo

Recuerda que para que funcione, tu molinete siempre debe hacerse con cartulina cuadrada.

¡LOS ESTAMPADOS SE CONFUNDEN CON EL VIENTO AL GIRAR!
Clava tu molinete en una maceta con tierra, colócala en tu ventana y disfruta de su alegre girar cuando sople la brisa.

Marco de fotos

Materiales

2 papeles estampados de scrapbooking tamaño A4 · Un A4 de cartón fino · Pegamento · Tijeras · Un folio blanco · Compás · 15 cm de cinta roja con topos blancos · 2 abalorios rojos (corazón y llave) · 10 cm de cordel

1 **Recorta** un cuadrado de 20 x 20 cm de uno de los papeles estampados. Pégalo a un cartón fino del mismo tamaño para darle rigidez.

2 **Dibuja** y recorta un círculo en el folio y crea un marco hueco con una blonda alrededor. Corta un círculo del otro papel estampado y colócalo debajo del marco. Pégalos en el centro de la base creada en el paso 1. Añade el lazo, con los abalorios rojos atados al cordel.

3 **Pega** en la parte trasera una pieza rectangular de 10 x 5 cm para apoyar el marco en una mesa. ¡Ya está listo para regalar y sorprender!

Idea

Otra opción es usar esta manualidad para decorar la portada del álbum de fotos de tus últimas vacaciones.

Demuestra lo que quieres a mamá regalándole este original marco.
¡EL SECRETO ESTÁ EN COMBINAR PAPELES DISTINTOS!

Cortina de mariposas

Materiales

Un folio blanco · Lapicero · Tijeras · 2 cartulinas A4 amarillas · 2 cartulinas A4 rojas · 2 cartulinas A4 verdes · 2 cartulinas A4 azules · 2 cartulinas A4 naranjas · 6 m de cordel rosa · 6 m de cordel azul · Cinta adhesiva de doble cara · Pegamento fuerte

1 **Dibuja** en un folio una mariposa y recórtala: será la plantilla para crear todas las demás. Traspásala a las cartulinas de colores. Para saber cuántas necesitas en total, tienes que tener en cuenta la altura de la cortina y decidir el número de caídas que quieres. Además, recuerda: cada mariposa está formada por dos partes iguales.

2 **Corta** tantas tiras de cordeles de colores como caídas necesites con la medida de la altura deseada. Alrededor del cordel, coloca un trozo de cinta adhesiva de doble cara para fijar luego las mariposas.

3 **Pega** las mariposas a una distancia de unos 15 cm alternando los colores. También puedes combinarlos: un lado de mariposa azul con otro rojo, un lado naranja con otro verde, etc. ¡Como más te guste!

Consejo

Para fijar muy bien cada mariposa al cordel usa dos materiales: la cinta adhesiva de doble cara y el pegamento fuerte.

¡PARECE QUE VUELAN DE VERDAD!

Esta manualidad tiene muchas posibilidades: como cortina para las ventanas, como adorno para una puerta o como un mural muy colorista. ¡También puedes alternar las mariposas con pequeñas bolas de lana!

Maceta de flores

Materiales

1 m de alambre fino • Medio pliego de papel pinocho verde claro • Medio pliego de papel pinocho rojo • Medio pliego de papel pinocho amarillo • Medio pliego de papel pinocho fucsia • 5 pliegos de papel pinocho verde oscuro • Pegamento

1 **Corta** cinco trozos de alambre de 20 cm cada uno. Para hacer la primera flor, dobla un pliego de papel pinocho del color que más te guste para conseguir un rectángulo de unos 8 cm de ancho.

2 **Pega** la parte larga del rectángulo y enróllalo en el alambre, a unos 5 cm de uno de los extremos. Ve presionando para que se quede bien pegado. Por la parte de arriba, ábrelo como si fuera una flor. Repite estos dos pasos con los otros pliegos de colores para hacer todas las flores.

3 **Realiza** rectángulos con los pliegos de color verde oscuro y divídelos entre las cinco flores. Enróllalos alrededor de los alambres en varias capas para que quede un tallo grueso. Añade pegamento a medida que lo necesites.

Idea

Busca un bonito macetero y un poco de corcho blanco y clava en él tus originales flores de papel.

Para ser como las de verdad, a tus flores solo les falta el aroma. Pulveriza tu colonia favorita sobre ellas: el papel conservará el olor durante un tiempo. ¡Después tendrás que hacerlo de nuevo!
¡SORPRENDE A TU MAMÁ EN UN DÍA ESPECIAL!

Centro de flores

Materiales

2 cartulinas A4 de color rojo · Lapicero · Tijeras · Medio A4 de cartulina violeta · Rotuladores · Pegamento · Cinta adhesiva amarilla

1 Dibuja en una de las cartulinas rojas la silueta de la gallina y recórtala. Ponla sobre la otra cartulina y recorta una segunda pieza.

2 Crea dos alas, dos cuellos y dos picos con la cartulina morada, y dos patitas con la roja. Pégalas en su sitio fijándote en el ejemplo. Para unir las dos partes del cuerpo de la gallina, aplica pegamento en la cabeza y en la cola de tal manera que el centro quede hueco.

3 Corta una pieza de cartulina roja para la base y únela con la cinta adhesiva amarilla, que además servirá de elemento decorativo. Adorna tu gallina con los rotuladores. Solo faltan las flores y el huevo de Pascua para terminar el centro de mesa.

Idea

Cuando haya pasado la Pascua, retira el huevo decorado y deja las flores: tu mamá disfrutará de un adorno hecho por ti durante todo el año.

¡ADORNA CON HUEVOS DE PASCUA PINTADOS!
La Pascua es una fiesta tradicional para celebrar con la familia y los amigos. Conejitos de Pascua, huevos decorados, pollitos y gallinas son imprescindibles en estas fechas.

Farolillos de luz

Materiales

Cartulinas A3 de colores (tantas como farolillos) · Regla · Lapicero · Tijeras · Goma de borrar · Pegamento · 3 velas a pilas tipo led con forma cilíndrica

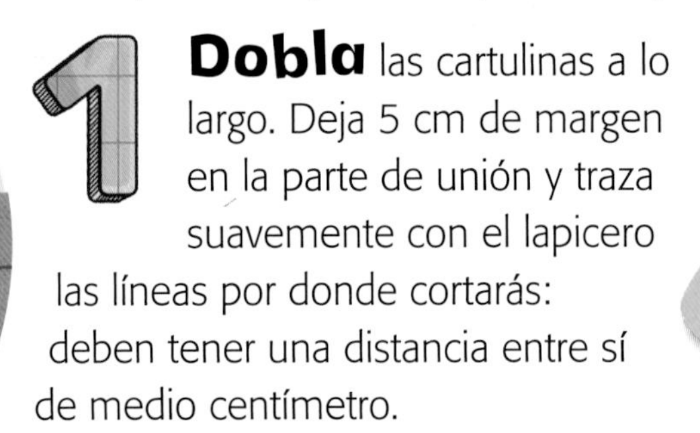

1 **Dobla** las cartulinas a lo largo. Deja 5 cm de margen en la parte de unión y traza suavemente con el lapicero las líneas por donde cortarás: deben tener una distancia entre sí de medio centímetro.

2 **Corta** por las líneas marcadas. Haz lo mismo en las tres cartulinas. Si es necesario, borra las marcas de lapicero.

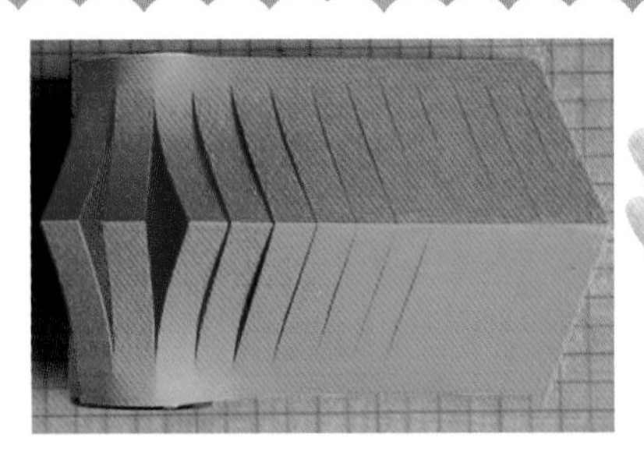

3 **Abre** la cartulina y une los laterales con pegamento. Ya solo falta colocar la vela tipo led dentro del farolillo. ¡Qué luz tan acogedora da!

Idea

Puedes reservar una tira de cada cartulina para realizar un asa. Grapa cada extremo a los lados del farolillo y cuélgalo donde quieras, ¡es muy sencillo!

Los farolillos de papel proceden de Asia y allí se realizan con velas, pero los tuyos son más seguros porque funcionan con pilas.
¡NO SE QUEMAN!

Adornos de Pascua

Materiales

Un folio blanco • Cartón fino • Lapicero • Tijeras • Clip • Pliegos de papel charol de varios colores • Pegamento • Palitos de brocheta • Cinta adhesiva fuerte • Cintas de raso finas de varios colores

1 **Haz** una plantilla de un huevo del tamaño que quieras en un folio blanco para tu adorno. Traspásalo al cartón fino y recorta dos piezas por cada huevo.

2 **Marca** con un lapicero en cada plantilla las líneas de separación de los distintos papeles. Con un clip únela a lo que queda del folio blanco y ponlo en la ventana al trasluz. Copia las marcas de lapicero y recórtalas. Traspasa cada una de ellas al papel charol según el color que corresponda. Pega cada pieza en su sitio.

3 **Fija** un palo de brocheta con cinta adhesiva fuerte a la parte trasera del huevo. La trasera de los huevos puede ser igual que la delantera (con las mismas piezas de papel charol) o sin adorno alguno. Une las dos partes con pegamento. Decora con unos lazos de raso de colores.

Idea

El complemento perfecto son unos abalorios brillantes colocados entre el huevo y el lazo.

¡ELIGE TUS FLORES FAVORITAS!
¡PERSONALIZA LA MACETA!
Clava los huevos de papel a una maceta que tú mismo puedes decorar o pintar a tu gusto.

Velas de cumpleaños

Materiales

Una cartulina A4 de color rojo · Una cartulina A4 de color naranja · Una cartulina A4 de color amarillo · Pegamento · Palos de brocheta (tantos como años cumplas) · Gominolas variadas · Pieza de corcho · Papel de regalo

1 **Dibuja** tres plantillas (pequeña, mediana y grande) con la forma ovalada de una llama. Traspasa la pequeña a la cartulina amarilla, la mediana a la naranja y la grande a la roja. Tienes que hacer el doble de piezas rojas, naranjas y amarillas que los años que cumples y recórtalas.

2 **Pega** de tres en tres las piezas para crear la parte delantera de cada llama. A continuación, haz lo mismo para crear las partes traseras. Une las dos partes dejando una abertura en la zona inferior.

3 **Atraviesa** los palos de brocheta con divertidas y variadas gominolas y remata el extremo superior con las llamas-funda. Clava las brochetas en la pieza de corcho envuelta en papel de regalo.

Idea reciclaje

Conserva las «llamas» para el próximo año o para prestárselas a tus amigos en sus cumpleaños.

¡UNAS VELAS MÁGICAS QUE NO QUEMAN!

Para hacer las brochetas, solo tienes que elegir tus golosinas favoritas y pincharlas en los palitos. Puedes hacer todas las velas iguales o probar con distintas combinaciones.

Cajitas de regalo

Materiales

2 cartulinas estampadas tamaño A4 · Lapicero · Regla · Tijeras · Remachadora de papel · Cordón fino

1 Traza en la cartulina estampada la forma que te indicamos en la imagen y recórtala. Con un lapicero y sin marcar mucho, para después poder borrarlas, haz las líneas discontinuas por donde vas a doblar, dejando un cuadrado en el centro, que será la base.

2 Perfora con una remachadora cada esquina para hacer los agujeritos y las arandelas metálicas. Dobla por la línea de puntos y atraviesa y ata con el cordoncito los remaches de las cuatro esquinas.

3 Recorta la forma de las tarjetas y átalas con cordón a la cajita. Te servirán para poner el nombre del destinatario del regalo.

Idea

Estas cajitas sirven para guardar tesoros (pendientes, pulseras) y envolver de una forma especial regalos para tus amigos.

Puedes hacer varias cajitas con estampados diferentes o también forrar una cartulina lisa con tu papel de regalo favorito.
¡DOBLA LOS LATERALES Y CONSIGUE UNA CAJITA-PIRÁMIDE!

Cupcakes decorativos

Materiales

Cartón grueso · Lapicero · Tijeras · Pinturas acrílicas de colores · Pincel · Cartones ondulados finos de colores variados · Pegamento

1 **Dibuja** las forma de cada uno de los cupcakes en el cartón, que puedes conseguirlo de una caja que no uses. Recórtalos con la ayuda de tus padres.

2 **Pinta** la base del cupcake de diferentes colores. Primero los tonos más oscuros; déjalos secar y después aplica los claros y los adornos, como los toppings.

Consejo

Si no encuentras cartón de colores, puedes pintar tu cartón con aerosoles, teniendo cuidado de no manchar nada.

3 **Recorta** los cartones ondulados con las formas que necesitas: el molde del cupcake, los topos, la flor con hojitas y la guinda. Pégalos en su sitio después de haber comprobado que la pintura está completamente seca.

¡HAZ CON ELLOS UNA GUIRNALDA
Y DECORA TAMBIÉN LAS PAREDES!
También puedes escribir el
nombre de tus invitados en
cada uno de los cupcakes
para indicar su sitio en la
mesa. ¡Una merienda
personalizada!

Mensajes de cumpleaños

Materiales

Palito de brocheta · 20 cm de cuerda fina · Un cartón grueso de tamaño A4 · Pegamento fuerte · Rotulador negro · Cartulina roja · Abalorios adhesivos · Ojo adhesivo grande

1 Envuelve el palito con la cuerda, atando bien los extremos para que no se suelte. Deja una parte sin envolver para pincharlo a la tarta.

2 Dibuja sobre el cartón la forma del pajarito y recórtala. Haz lo mismo con la alita. Dibújales una línea discontinua a modo de pespunte siguiendo el borde. Une las dos piezas con pegamento y pon en medio de las dos un trocito de cartón doblado para que dé sensación de volumen.

3 Recorta los corazones y las estrellas en la cartulina roja y pégalas en su sitio, junto con los abalorios. Pon el ojo adhesivo y pega el palo a la parte trasera del pajarito.

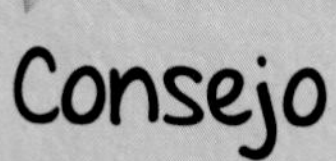

Consejo

Pega en el palito etiquetas con mensajes divertidos, ¡como si el pajarito se dirigiera a la persona que está celebrando su cumpleaños!

Las tartas de cumpleaños son perfectas para desplegar toda tu imaginación y crear adornos especiales.

¡HAZ TANTOS COMO INVITADOS TENGAS Y TODOS SE LLEVARÁN UN RECUERDO!

Gorro pirata

Materiales

2 cartulinas A3 de color negro · Cera blanca · Tijeras · Grapadora

1 **Marca** en una de las cartulinas la silueta del sombrero, como te mostramos en la fotografía. Recórtala, superponla en la otra cartulina y recorta de nuevo.

2 **Dibuja** en uno de los lados una calavera y unas tibias. Busca algún modelo para copiar en Internet, en libros de piratas o mejor: ¡diséñalo tú mismo!

Truco

Para hacer el efecto difuminado del dibujo de las tibias y la calavera, primero dibuja con la cera y luego frótala con un dedo.

3 **Une** las dos partes del gorro y grapa por el borde, dejando la abertura suficiente para poderlo encajar en tu cabeza. ¡Pareces todo un capitán pirata!

Puedes acompañar este sencillo gorro con un parche y un buen maquillaje de bucanero, ¡serás el pirata más temido!
¡TIERRA A LA VISTAAAAA!

Máscaras navideñas

Materiales

Cartulina A4 roja · Cartulina A4 blanca · Cartulina A4 marrón · Cartón fino · Pegamento · 4 brochetas de madera · Papel adhesivo fuerte

1 **Crea** cada una de las piezas que necesitas con las cartulinas de colores. Dibújalas primero y después recórtalas. Estos dibujos te servirán de plantillas por si quieres repertir los modelos.

Recuerda

Para el Papá Noel necesitas las piezas de la barba, la borla y la base del gorro de cartulina blanca y el gorro de cartulina roja. Para el reno: cornamenta marrón y un círculo rojo para la nariz.

2 **Superpon** las piezas sobre el cartón fino y pégalas. Corta por el borde cada una de ellas.

3 **Pega** las piezas a los palos de brocheta. Si es necesario, añade papel adhesivo fuerte para fijarlos mejor: si vas a hacer una obra teatro tienen que estar bien pegados, ¡con el movimiento pueden caerse!

Con estas sencillas máscaras podrás caracterizarte del personaje que quieras ¡en menos de 15 minutos!
¡LISTOS PARA ACTUAR!

Tus golosinas favoritas también pueden disfrazarse para Halloween. Envúelvelas en cuadrados de 8 x 8 cm de papel de seda naranja y átalas con lana verde. ¡Riquísimas!
¡UNA FIESTA DE HALLOWEEN ÚNICA!

Sombrero de brujita

Materiales

Lana naranja • Aguja lanera • 2 cartulinas negras estampadas tamaño A3 • Un pliego A3 de papel charol morado • Un pliego A3 de cartulina verde • Un pliego A3 de cartulina negra con topos • Tijeras normales y tijeras con filo ondulado • Cinta de pasamanería naranja • Pegamento fuerte

1 **Pide ayuda** a tus padres para coser un pespunte con lana naranja en uno de los bordes largos de un pliego de cartulina. Haz con él un cono, teniendo en cuenta el perímetro de tu cabeza.

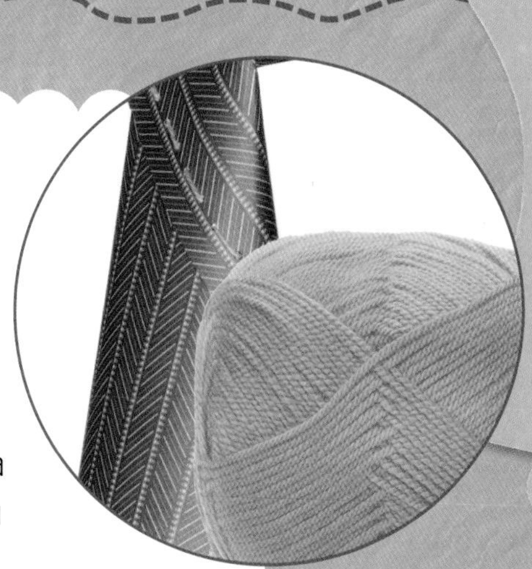

2 **Pega** una pieza ovalada, a modo de ala del sombrero, con pespunte de lana en el borde.

3 **Adorna** el sombrero con una circunferencia de papel charol morado con pliegues, la solapa verde con borde ondulado y los triángulos negros con la cinta de pasamanería naranja pegada.

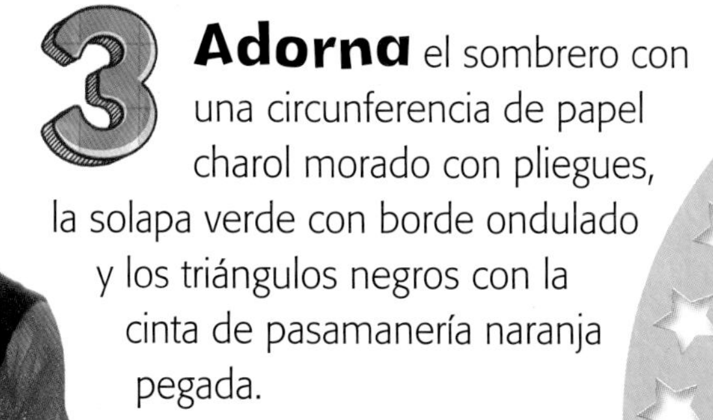

Consejo

Puedes cambiar los colores que hemos escogido para este proyecto y darle tu toque personal. ¡Qué divertido es mezclar!

Calabaza de Halloween

Materiales

Cartulina naranja tamaño A3 · Regla · Tijeras · Pegamento · 20 cm de lana verde

1 **Traza** con una regla en la cartulina naranja tres tiras iguales de 6 x 15 cm. Después, recórtalas.

2 **Coloca** las tiras sobre una superficie plana superpuestas entre ellas, a modo de estrella, y pon pegamento en el punto de unión de las tres.

3 **Lleva** los extremos hacia arriba, uniéndolos también con pegamento. Atraviesa el extremo superior con la lana verde y cierra con una gran lazada.

Consejo

Si quieres hacer las calabazas más pequeñas repite los pasos pero cambiando el tamaño de las tiras de cartulina a 3 x 7 cm.